Para Gabriel, con amor

© Petr Horáček, 2017
Publicado por acuerdo con Walker Books Ltd,
87 Vauxhall Walk, Londres, SE11 5HJ, Reino Unido

Todos los derechos reservados

Título original: *The Mouse Who Wasn't Scared*
© de la traducción española:
EDITORIAL JUVENTUD, S.A., 2017
Provença, 101 - 08029 Barcelona
info@editorialjuventud.es
www.editorialjuventud.es

Traducción de Maria Lucchetti

Primera edición, 2017

ISBN 978-84-261-4464-5

DL B 6.785-2017
Núm. de edición de E. J.: 13.451

Printed in China

El ratón que no tenía miedo

Petr Horáček

Editorial EJ Juventud

Un buen día, el Ratoncito decidió jugar a explorar.

-Ni se te ocurra ir a jugar al bosque -dijo el Conejo-. Da miedo y está lleno de animales grandes y espeluznantes.

-A mí no me asusta nada
-dijo el Ratoncito-. Ni
siquiera los animales grandes
y espeluznantes. Puede
que sea pequeño ¡pero no
tengo miedo de nada!

El Ratoncito se adentró en el bosque.
Se divertía saltando sobre las setas
venenosas, cuando vio algo acurrucado
bajo las ramas.

¡Era un lobo! ¡UN LOBO
GRANDE Y ESPELUZNANTE!
—No me das miedo —dijo el Ratoncito—.
¿Quieres jugar?

Pero el lobo
no respondió.

El Ratoncito jugaba
a esconderse entre las sombras,
cuando vio algo sentado
detrás de un árbol.

¡Era un oso!
¡UN OSO ENORME Y ESPELUZNANTE!
-No me das miedo -dijo el Ratoncito-.
¿Quieres jugar?

Pero el oso no respondió.

Al rato, el Ratoncito
jugaba a saltar desde un tronco,
cuando vio algo
que asomaba entre las hojas.

¡Era un alce!
¡UN ALCE GIGANTE
Y ESPELUZNANTE!
–No me das miedo –dijo el Ratoncito–.
¿Quieres jugar?

Pero el alce lo miró en silencio.

"¡Qué divertido es jugar aquí! -se dijo
el Ratoncito-. El Conejo se equivocaba, el bosque
no da miedo. Pero nadie quiere jugar.
¡Mira, una casita!
¿Quién vivirá ahí dentro?".

El Ratoncito se acercó sigilosamente a la casa.
¿Qué era ese ruido que se oía
detrás de la puerta?

Era un gatito.
UN GATO PEQUEÑO Y CON LACITO.
–Miaaauu –maulló el gato–.
¿Quieres jugar?

Pero el Ratoncito se quedó mudo.

Salió corriendo de la casa...

pasó el oso...

pasó el alce...

pasó el lobo...

... y por fin salió del bosque.

-¿Qué ocurre, Ratoncito?
-le preguntó el Conejo-.
¿Te has asustado de los animales
grandes y espeluznantes?

–¡No! –dijo el Ratoncito–. Los animales grandes y espeluznantes no me asustan. ¡Los que me dan miedo son los animales pequeños y con lacitos!